O DRAGÓN CO TRASEIRO EN CHAMAS

UN CONTO ABRASADOR

Picarona

Para James, Katie e Lucy

Podes consultar o noso catálogo en www.picarona.net

O dragón co traseiro en chamas

Texto e Ilustracións: Beach

1.ª edición: marzo do 2022

Título orixinal: *The Dragon With the Blazing Bottom*

Tradución e corrección: *Raquel Mosquera*
Maquetaxe: *Carol Briceño*

Edita: Picarona, selo infantil de Ediciones Obelisco, S. L.
Collita, 23-25. Pol. Ind. Molí de la Bastida
08191 Rubí -Barcelona -España
Tel. 93 309 85 25
E-mail: picarona@picarona.net

ISBN: 978-84-9145-521-9
Depósito Legal: B-15.779-2021

Printed in China

O DRAGÓN
CO TRASEIRO
EN CHAMAS
por BEACH

Un día Dragón madrugou un montón
para loitar contra Sir Wayne nunha temible exhibición.

Pisaba, mordía e corría sen cesar,
cando de súpeto…

notou que algo ía mal.

Con todas as súas forzas sopraba e sopraba,
pero nada se incendiaba
e ningún cabaleiro ardía en chamas.

—Perdiches a chispa?–
preguntou Sir Wayne.
—Podería ser unha gripe.
Non te preocupes,
hai outras cousas
que podes facer.

—Podes ouvear,
poñer mala cara,
e axitar a cola,

ou ruxir e rabuñar;
iso sempre funciona.

E se engurras o cello
con todas as túas forzas?

—CALA!– gritou Dragón–. Non coñeces as miñas destrezas?
Dragón que cospe lume, así é como me chaman.
Cando cuspo sobre un cabaleiro,
espero velo en chamas!

—Nese caso– dixo Wayne– abre a boca ben.

Así que Dragón dixo: «Aaaaaah», e o cabaleiro asomouse para ver.

—Miña nai, miña nai!

Miña nai, ai, ai, ai!

—Que pasa?– preguntou Dragón–. Que é o que hai?

—Os teus dentes –dixo Wayne– non son NADA nauseabundos.

E que dicir da túa lingua,
é a máis rosada do mundo!

O teu alento cheira mal,
pero non o suficiente.

Creo que deberías comer algo diferente.

Sir Wayne fixo unha pose, só para os cabaleiros posible.
——Non temas! –exclamou– pois teño un plan infalible!

—Coñezo unha receita tan picante,
que a última vez que a fixen,
queimou o cazo
por detrás e por diante.

—Soa perfecto –dixo Dragón–. Xusto o que necesitaba.
Unha fritura tan picante devolverame a miña chama.

Así que Wayne escribiu coa súa pluma:
—Receita para unha cea picante como ningunha…

Oito anguías eléctricas saltaricas.
Seis sacos de carbón e un bidón de gasolina.
Douscentos vagalumes, un madeiro chameante,
un enorme cacto con pugas
envolto en arame.

Un foguete térmico, un arbusto en chamas,
Fogos artificiais e unha chea de bengalas…

Por último e moi importante…
Un anaco de queixo miúdo
case tan verde como os mocos
dun esbirro.

A pota chispeaba e escintilaba con gotas resplandecentes.

—Guau! –exclamou Dragón,
Isto cheira ESTUPENDAMENTE!

Colleu o prato
e tragouno nun momento

—Arre demo!– exclamou.
—É unha receita excelente.

Eu de ti collería un escudo, o meu pequeno escudeiro.
O Gran Dragón Malvado está a punto de
CUSPIR LUME.

Así que reuniu a súa forza cun enxordecedor ruxido…

Pero seguía sen botar lume,
soamente un soprido…

—Non, non, espera, –dixo– a túa armadura quedou enteira.
Non podo queimar metal, debería probar con madeira.

Así que probou cun tronco…
pero non ardía coma a leña.

Entón probou cunha rama.

E cun pau.

E cunha rama máis pequena.

Pero pasaba o mesmo cada vez que o tentaba,
Non saía fume negro, de ningunha maneira unha chama.

Dragón derrubouse no chan, abatido.
—Estou rebentado. Xa non podo dar nin un só soprido.
Xa está, –murmurou– chegou a hora de xubilarme.
Non podo ser un dragón se a miña gorxa non arde.

—Por favor, –dixo Sir Wayne– non te sintas tan desanimado.
Prender lume aos cabaleiros está moi sobrevalorado.
Es moito máis que unha fogueira con ás.
Tes un corazón que voa e unha alma que canta.

E…

Detívose.

Dragón, ao parecer, xa non estaba a escoitar.
Un dos buracos do seu nariz estaba a asubiar…

Os seus dentes estaban vermellos e nas súas orellas
había un resplandor.
Desde a cabeza ata á cola, as súas escamas botaban vapor.

Faíscas xigantescas saían das súas garras.
E un ruxido estrondoso saíu das súas entrañas.

—LUME!– gritou Dragón cos ollos brillantes.
Pero Sir Wayne e el ían ver algo alucinante.

Xusto no momento en que debían aparecer as chamas,
oíu un ruído estraño ás súas costas.

Dragón, ao parecer,
prendera lume a un carro,
cunha chama temiblemente espantosa…

...UN PEDO!

—Que horror!– dixo Wayne, tapándose o nariz,
—Non esperaba ver unha cousa así.

Aínda así, como sempre digo, mellor fora que dentro.
Un traseiro chameante escorrentaría a calquera cabaleiro.

Así que, aínda que non saia coma antes,
Dragón ten lume na súa barriga de novo.

E a ensinanza da nosa historia é fácil de entender:

Non te poñas detrás dun dragón
xusto despois de comer.